JOAQUÍN RODRIGO

Aranjuez, ma pensée

Tema del Adagio del *Concierto de Aranjuez*

para CANTO Y GUITARRA

Versión del autor

Aranjuez,
mai est la saison des roses,
sous le soleil elles sont déjà écloses,
les magnolias en fleurs se penchent
sur les eaux claires du Tage.

Et la nuit,
ce parc deux fois centenaire
s'anime soudain chuchotements,
et bruissements, subtils arômes,
qu'amène le vent avec d'illustres fantômes.

Un peintre fameux avec sa palette magique,
a su capter d'immortelles images,
l'ombre d'un roi et d'une reine.

Or et argent,
perles et diamants fêtes somptueuses belles
et voluptueuses fiers courtisans.
Guitares au loin,
guitares et mandolines entre les buissons,
joueurs de flûte, chanteurs a l'unisson.

Mon amour,
je te cherche en vain parmi les frondes
où tant de souvenirs,
vivaces abondent des temps passés,
des jours heureux.

Nous avions vingt ans tous les deux.

Aranjuez, ma pensée (para canto y guitarra)
ISMN: M-805417-33-5.

Ediciones Joaquín Rodrigo, S.A.
General Yagüe, 11-4º - 28020 Madrid (España)
Tel. 34 91 5552728
www.joaquin-rodrigo.com
ediciones@joaquin-rodrigo.com

Aranjuez, ma pensée

Tema del Adagio del *Concierto de Aranjuez*

Texto: **Victoria Kamhi**

Joaquín Rodrigo
(1901 - 1999)

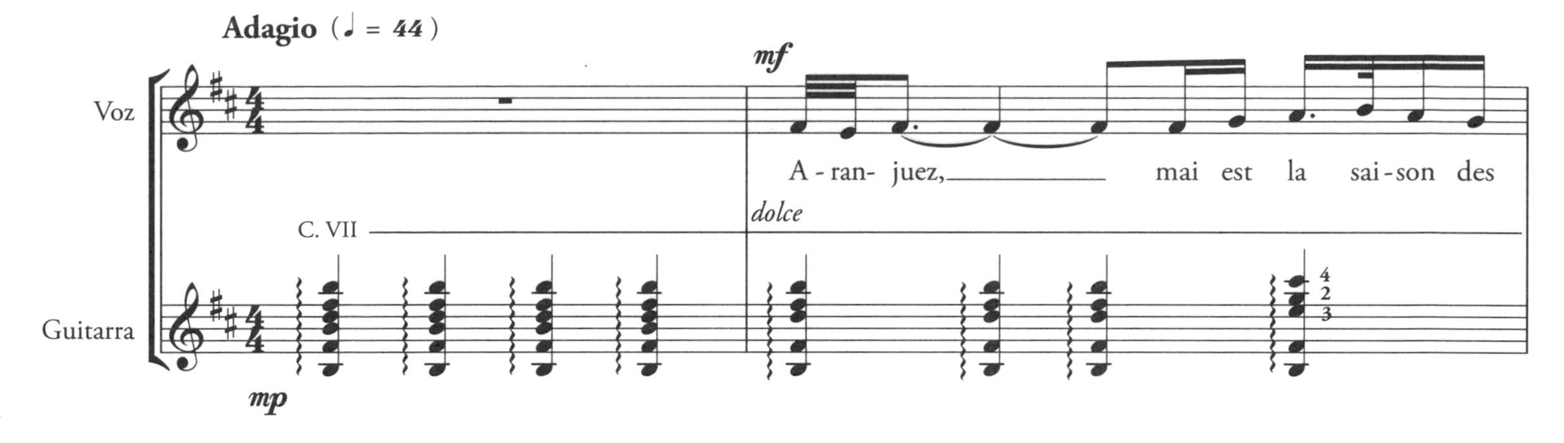

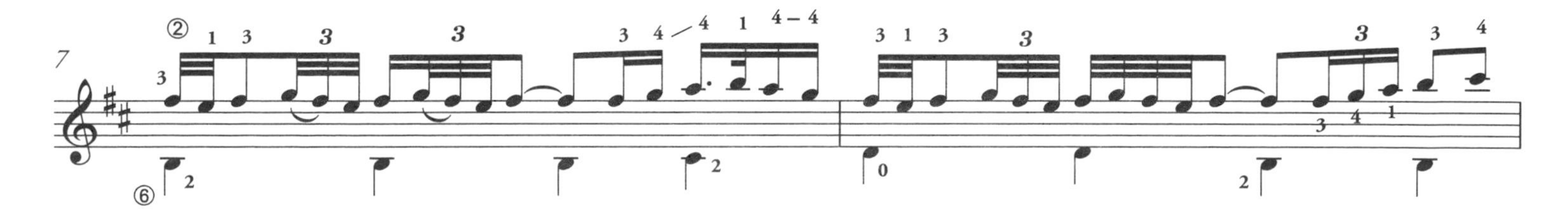

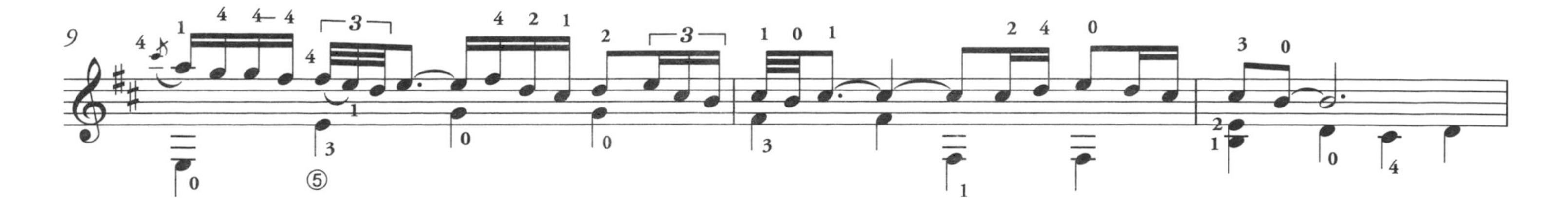

12
Et la nuit, ce parc deux fois cen - te - nai - re s'a - nime sou-dain chu-cho - te -

14
ments, et bruis-se-ments, sub-tils a-rô - mes, qu'a-mè ne le vent a - vec d'i-llus - tres fan-
C.II

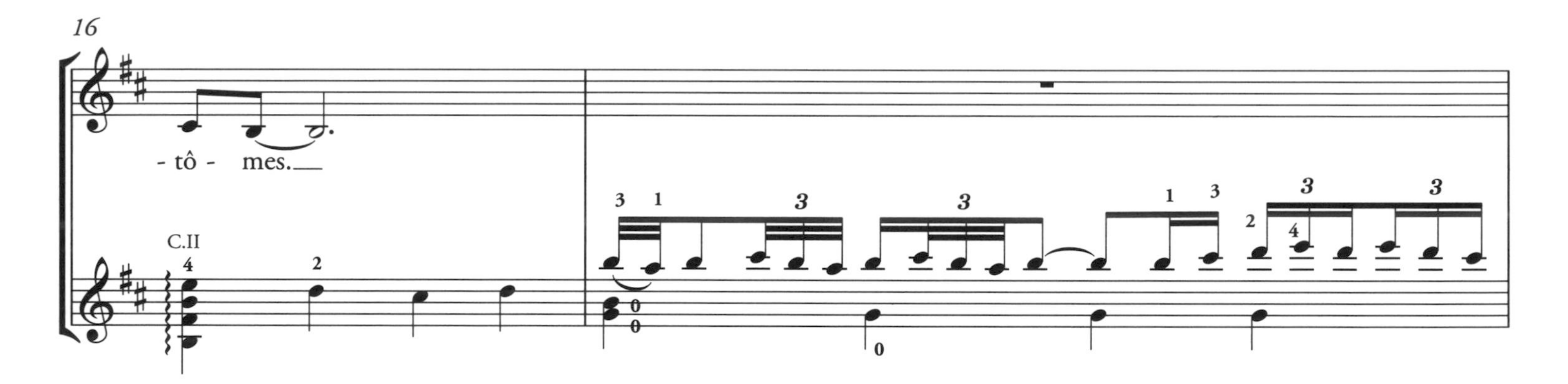
16
- tô - mes.
C.II

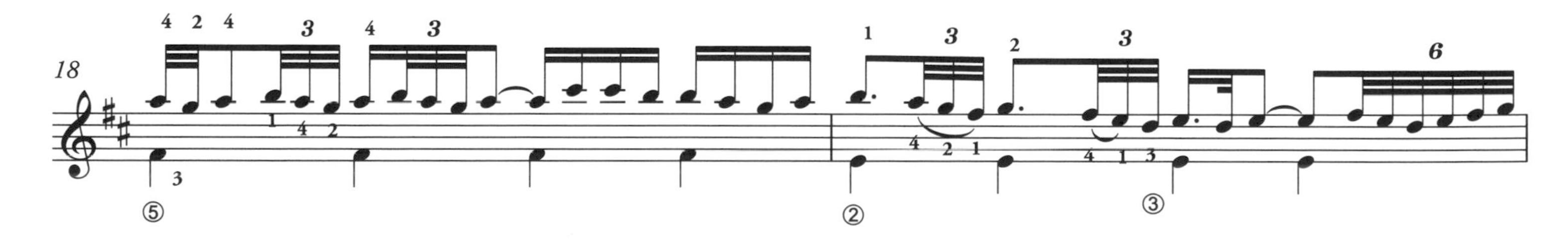
18

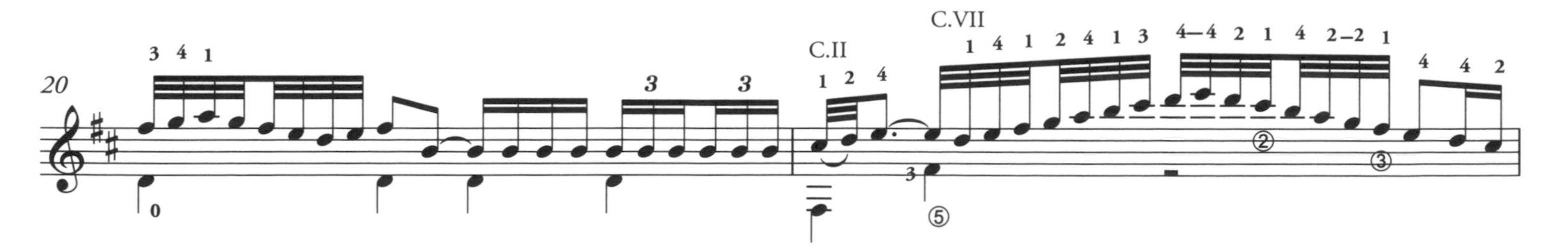
20
C.II
C.VII

22
Un peintre fa- meux a - vec sa pa- lette ma- gique, a su cap- ter d'im-mor-

24
- telles i- ma - ges, l'ombre d'un roi et d'u-ne rei - ne.
C.II
C.II
tr

26
Or et ar-gent, per-les et dia- mants, fê-tes somp-tu - eu - ses, femmes be-lles et vo-lup-tueu-ses fiers courti-

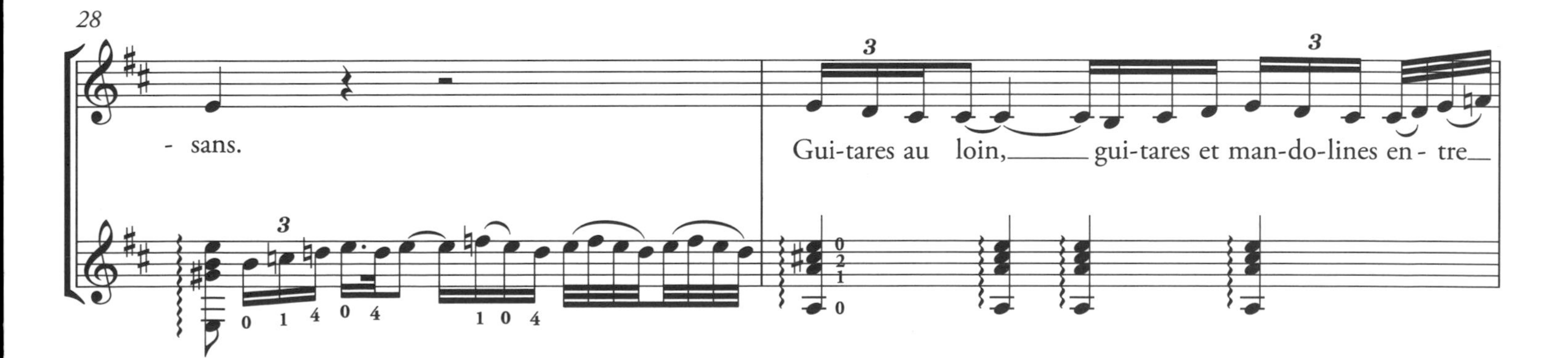
28
- sans.
Gui-tares au loin, gui-tares et man-do-lines en- tre

30
les buis - sons, jou-eurs de flû - te, chan-teurs à l'u-nis - son.
C.II

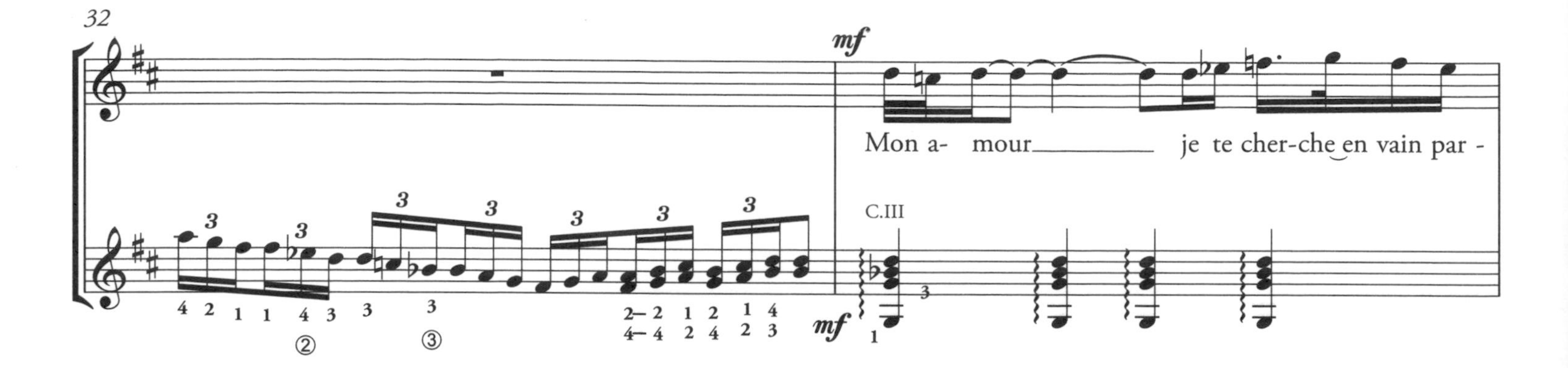
32
mf
Mon a- mour je te cher-che en vain par -
C.III
mf

34
- mi les frondes où tant de
sou-ve- nirs, vi-va-ces a- bon dent des temps pa- ssés, des jours heu -

36
- reux.
C.II
C.VII

38

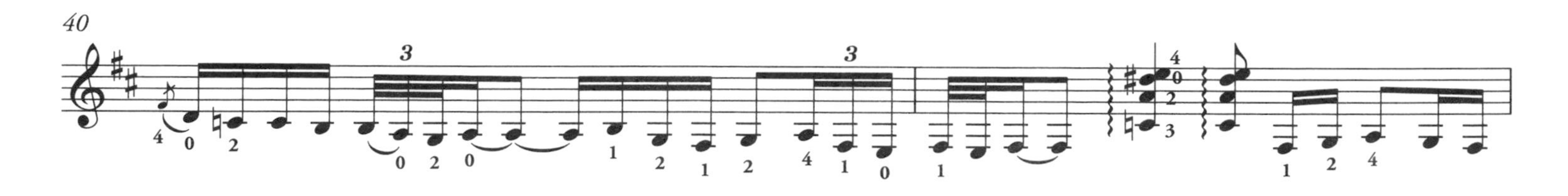
40

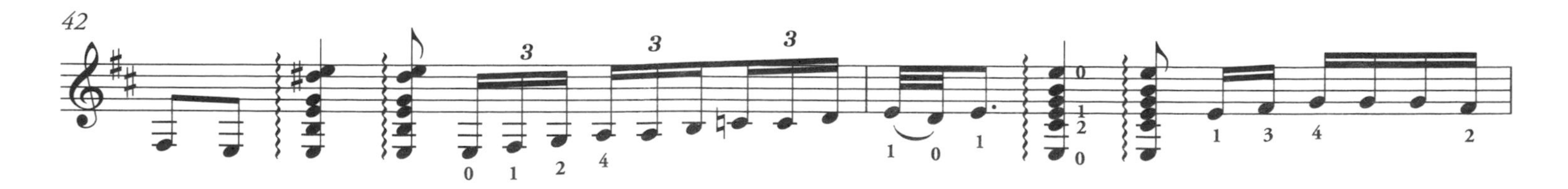
42

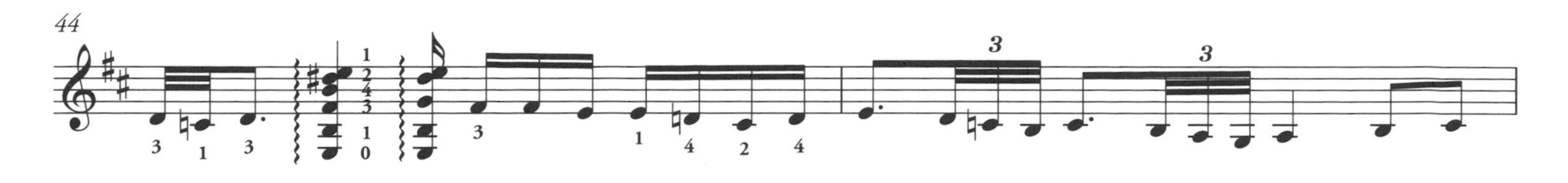
44

46

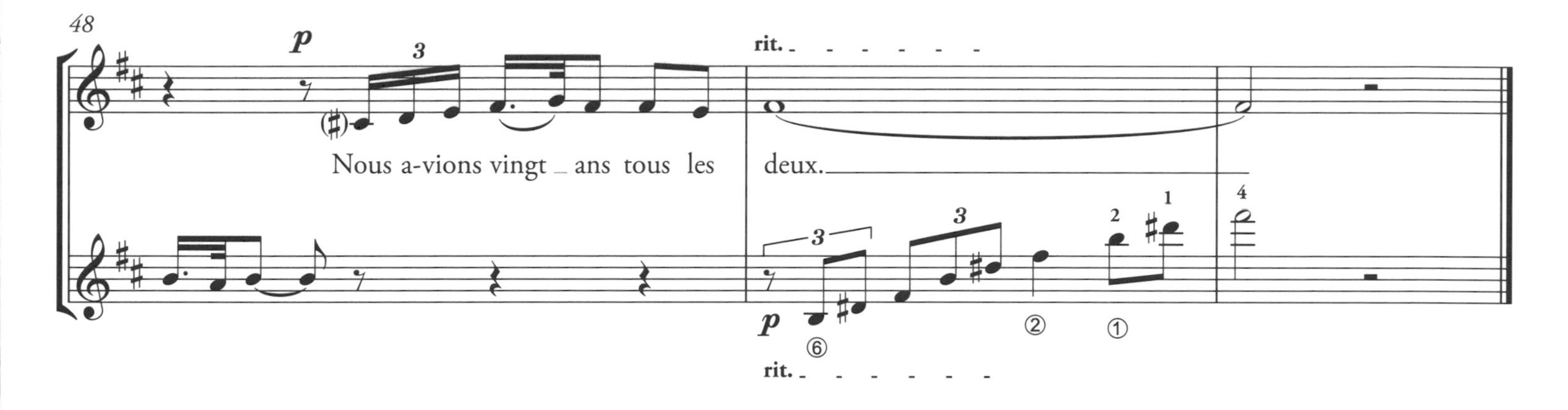
48
p
rit.
Nous a-vions vingt _ ans tous les
deux.
rit.